**Drei durch dick und dünn**

Jörg Hagemann
wurde 1965 in Wolfenbüttel geboren. Er studierte in Braunschweig Deutsche Literatur, Sprache und Geschichte. Sein beruflicher Weg führte ihn als Autor und Texter über Hamburg nach München, wo er mit seiner Familie lebt.

Rudi Schedl
wurde 1971 in München geboren. Er absolvierte ein Studium in Kommunikations-Design und Illustration an der Fachhochschule München. Er ist Diplom-Designer und Art-Director in einer Münchner Werbeagentur und Illustrator.

Jörg Hagemann

DIE GRUSEL-GEISTER

Mit Bildern von
Rudi Schedl

Rowohlt Taschenbuch Verlag

Veröffentlicht im Rowohlt Taschenbuch Verlag GmbH,
Reinbek bei Hamburg, September 2003
Copyright © 2000 und 2001 by Verlag Carl Ueberreuter, Wien
Umschlag- und Innenillustrationen Rudi Schedl
Umschlaggestaltung any.way, Barbara Hanke
Rotfuchs-Comic Jan P. Schniebel
Copyright © 2003 by Rowohlt Taschenbuch Verlag GmbH,
Reinbek bei Hamburg
Satz Minion PostScript, QuarkXPress, 4.11
Druck und Bindung Clausen & Bosse, Leck
Printed in Germany
ISBN 3 499 21228 5

Die Schreibweise entspricht den Regeln
der neuen Rechtschreibung.

INHALT

1 EIN GRUSELIGES GESCHENK

Sechs Jungen und ein Mädchen saßen an einem Wohnzimmertisch und rieben sich die Bäuche. Sie waren rappeldicke satt. Vor ihnen stand der Rest einer riesigen Torte. Nur drei Stücke hatten sie übrig gelassen. Aber die hätte keiner von ihnen noch verdrücken können.

«Wer will nochmal, wer hat noch nicht?», rief eine Frau aus der Küche und schaute ins Zimmer.

«Brbbbbl!», antworteten die Jungen schmatzend wie aus einem Mund.

Nur das Mädchen schüttelte pikiert ihren blonden Lockenkopf und meinte höflich: «Danke, Frau Kummert, wir haben wirklich keinen Hunger mehr. Aber die Torte war super!»

«Echbt klassbe!», bestätigte ein kräftiger Junge mit kurzen Stoppelhaaren und goldenem Ring im Ohr. Während er redete, fiel ihm doch glatt eine Rosine aus dem Mund.

Die anderen lachten. Nur das Mädchen nicht.

«Markus!», rief sie vorwurfsvoll. «Reiß dich doch mal zusammen!»

«Oh!», grinste Markus. «Prinzessin Maria meint mal wieder, wir hätten die Etiketten verletzt. Na, das haben wir gleich!» Und damit stopfte er sich die Rosine wieder zurück in den Mund.

Maria war empört. «Es heißt die Etikette verletzt, nicht die Etiketten. Falls du's nicht weißt. Jedenfalls hast du mal wieder keine Ahnung, wovon du sprichst!»

Markus sprang von seinem Stuhl auf. «Jetzt reicht's mir aber!», schimpfte er und schlug mit der Faust auf den Tisch, dass die Teller nur so klapperten.

«Und mir erst!», gab Maria Kontra und sprang ebenfalls auf.

Die anderen kicherten vergnügt vor sich hin. Sie kannten das bereits. Markus und Maria waren die verfeindetsten Freunde, die man sich vorstellen kann.

Nur ein kleiner schmächtiger Junge war zusammengezuckt. Er erschrak immer, wenn er Maria und Markus streiten sah. Er konnte einfach nicht verstehen, warum die zwei sich immer in die Haare kriegen mussten. Und schon gar nicht jetzt, wo das hier doch seine Feier war! Also trat er zwischen die beiden Streithähne, schaute zu ihnen auf und fragte:

«Ähm. Könnt ihr euren Streit nicht auf morgen ver-
schieben? Heute ist doch mein Geburtstag.»

Markus schaute Maria an.

Maria schaute Markus an.

Dann mussten sie lachen.

«Na gut. Weil du's bist!», kicherte Maria.

«Aber nur weil du Geburtstag hast», stellte Markus
fest.

Und Maria schlug sich mit der Hand vor die Stirn:
«Das hätten wir ja glatt vergessen!» Dann fing sie

aus vollem Hals an zu singen: «Hoch soll er leben, hoch soll er leben! Dreimal hoch!»

Die anderen stimmten fröhlich mit ein. Als sie fertig gesungen hatten, zeigten sie auf den Gabentisch. Da lagen ein paar Päckchen, die in kunterbuntem Papier eingewickelt waren.

«Die sind von uns für dich!», sagte Maria stolz.

«Auspacken! Auspacken!», lärmten die anderen.

Karl kriegte ganz glänzende Augen. So viele Geschenke hatte er noch nie zum Geburtstag bekommen. Neugierig nahm er das erste Päckchen zur Hand. Ganz vorsichtig, als hätte er Angst, etwas kaputtzumachen, wickelte er es aus. Eine große Tafel Schokolade kam zum Vorschein.

«Aufessen! Aufessen!», brüllten die Kinder. Aber das konnten sie nicht ganz im Ernst meinen. Nach der Tortenesserei von eben!

Karl legte die Schokolade beiseite und nahm das nächste Päckchen. Wieder wickelte er es vorsichtig aus. Diesmal kam ein Kompass zum Vorschein.

«Damit du immer weißt, wo's langgeht», erklärte Markus.

«Toll!», freute sich Karl und sah die Freunde dankbar an. Er selbst hätte sich so etwas nie kaufen können. Seine Eltern mussten an allen Ecken und Enden sparen. Klar, dass sie da für so was kein Geld hatten.

«Aber das Beste kommt erst noch!», verkündete Markus stolz und zeigte auf das dritte Päckchen.

Diesmal hatte Karl nicht mehr ganz so viel Geduld. Hastig riss er das Papier auf.

«Eine Taschenlampe!», rief er und kriegte vor Freude ganz große Augen.

«Für neue Abenteuer!», grinste Markus so breit, dass man seine Zahnlücke sehen konnte.

«Die leuchtet bis zu hundert Metern weit!», erklärte Maria.

Karl wollte es gleich ausprobieren. Leider war es im Zimmer zu hell. Trotzdem blinkte er mit der Lampe.

«Mutti, schau doch mal!», rief er. «Eine Schokolade, ein Kompass und eine Taschenlampe!»

Frau Kummert schaute aus der Küche und lachte. Sie freute sich für ihren Jungen. Als sie aber auf den Gabentisch blickte, wurde sie ganz nachdenklich. Denn die Geschenke, die Karl von seinen Freunden bekommen hatte, waren mehr als das, was ihm seine Eltern geben konnten. Neben der Kerze lag nämlich das Buch, das sie ihm geschenkt hatten. Es war nicht einmal neu. Sie hatten es im Antiquariat gekauft. Das war billiger. Denn Kummerts mussten sehr aufs Geld achten.

Und neben dem Buch lag noch ein Päckchen, das nur darauf wartete, ausgepackt zu werden.

«Was?», rief Karl aufgeregt. «Noch eins?»

Die anderen schauten sich an wie sechs Fragezeichen.

«Nicht von uns!», meinte Maria.

Karls Mutter rief aus der Küche: «Es ist heute Morgen mit der Post gekommen. Ich dachte, du weißt, von wem es ist.»

Karl schüttelte den Kopf. «Nö!», meinte er, riss das Papier auf und packte eine dunkle Holzkiste aus.

Die Kinder rückten näher zusammen.

«Was das bloß ist?», fragte Markus gespannt.

Karl klappte den Deckel der Kiste auf. Im Zimmer wurde es mucksmäuschenstill.

Vorsichtig griff Karl in die kleine Truhe.

Dann zog er etwas sehr Merkwürdiges hervor. Das Etwas war hart und knochig. Aber vor allem war es eklig! Denn es war ein Kopf – ein Totenkopf!

Die Kinder stießen einen Angstschrei aus und machten einen Schritt zurück. Nur Karl stand da und hielt den Totenkopf in den Händen. Er zitterte am ganzen Leib.

Markus war der Erste, der sich von seinem Schrecken erholte. Er nahm den Kopf aus Karls Händen, schaute ihn sich von oben bis unten an und erklärte: «Das ist ja gar kein echter. Schaut doch mal! Der ist doch nur aus Plastik.»

Dann untersuchte er den Schädel noch genauer und stellte fest: «Aber das hier ist echt!» Und er holte einen zusammengerollten Zettel aus dem Mund des Kopfes. Er wickelte das Papier auf und reichte es Karl.

Karl überflog den Zettel. Als er laut vorlesen wollte, versagte ihm die Stimme. Mit zitternder Hand hielt er den Zettel hoch. Die anderen lasen:

*HALTET EUCH VON BURG
RITTERSCHLAG FERN!
EINER, DER ES GUT MIT
EUCH MEINT.*

«Was hat das zu bedeuten?», fand Maria als Erste die Sprache wieder.

Markus nahm den Zettel und rollte ihn wieder zusammen. Er lächelte ein wenig gequält, als er antwortete: «Ich glaube, das kann nur eines bedeuten.»

Die anderen schauten ihn fragend an.

Markus räusperte sich kurz, dann sagte er: «Ein neues Abenteuer hat begonnen!»

2 DREI BEIM DIREX

Das Klassenzimmer der 4c glich einer Bahnhofshalle. Die Kinder liefen aufgeregt herum, brabbelten ständig durcheinander und konnten sich einfach nicht einkriegen.

Auf Karls Tisch stand der Totenkopf. Und davor lag die geheimnisvolle Nachricht, die er gestern erhalten hatte.

Markus kletterte auf einen Stuhl. «Alle mal herhören!», rief er.

Die Kinder klappten die Münder zu und schauten nach oben. Markus erklärte:

«Falls sich das einer von euch ausgedacht hat, dann sagt er es besser gleich. Sonst kriegt er es mit mir zu tun!»

«Und mit mir!», rief Maria und stieg auch auf einen Stuhl.

Nur Karl blieb unten.

«Keiner?», fragte Markus.

Die 4c war sich einig: Niemand hatte Karl den To-tenkopf geschickt.

«Aber wehe, einer von euch lügt!», drohte Markus. «Wenn ich den erwische!»

«Erwischt!», rief eine helle Frauenstimme. Und mit einem lauten Knall schlug die Klassenzimmertür zu. Es war die Deutschlehrerin, Frau Neulich.

«Was ist denn hier wieder los?», fragte sie und schaute Maria und Markus streng an.

«Och, nichts», stotterte Markus und stieg vom Stuhl herunter.

«Wirklich nicht!», meinte Maria und setzte sich auf ihren Platz.

Inzwischen hatte Karl den Totenkopf blitzschnell gepackt und unter dem Tisch versteckt.

«Na, jedenfalls», meinte Frau Neulich, «sollt ihr zum Direktor kommen. Er will euch sprechen.»

«Schon wieder?», stöhnte Markus. Das durfte doch nicht wahr sein! Als er das letzte Mal zum Direktor musste, hatte es eine Menge Ärger gegeben. Seine Eltern hatten einen blauen Brief bekommen. Sein Vater hatte ihm das Taschengeld gestrichen. Und das alles nur, weil Markus der Katze vom Hausmeister das Fell lila gefärbt hatte – mit löslicher Haartönung natürlich. Man konnte alles ganz schnell wieder her-auswaschen.

«Können Sie uns nicht wenigstens sagen, warum wir zum Direx sollen?», erkundigte sich Maria.

Aber Frau Neulich kannte keine Gnade. Sie öffnete nur die Tür und meinte: «Los, ihr drei. Ab durch die Mitte!

Und so trotteten Maria, Markus und Karl langsam davon.

«Herein!», tönte ein tiefe Stimme, als Maria zaghaft an die Tür des Direktors geklopft hatte. Sie drückte die Klinke hinunter und betrat mit ihren zwei Freunden im Schlepptau ein helles Zimmer.

«Ah, da seid ihr ja», stellte der Direktor fest. Er war ein großer Mann, der hinter seinem Schreibtisch saß, als wolle er sich nie wieder von dort fortbewegen.

«Setzt euch doch bitte!», sagte er freundlich. Die Kinder hatten Zeit, ihn etwas genauer zu betrachten. Meistens sah man den Direx nur zu besonderen Anlässen wie Schulfeiern und so. Der Direktor hatte ein volles Gesicht, das dadurch, dass er kaum noch Haare auf dem Kopf hatte, noch runder wirkte. Und wenn er die Stirn kraus zog, hatte man den Eindruck, der ganze Kopf würde Falten bekommen.

Genau das geschah jetzt. Der Direktor sagte: «Ihr

denkt sicher, dass ihr hier seid, weil ihr mal wieder etwas ausgefressen habt. Nicht wahr?»

«Aber ...!», wollte Markus sagen.

«Nicht doch. Nicht doch!», unterbrach ihn der Direx. «Diesmal handelt es sich um etwas ganz anderes.»

Während die drei kräftig durchatmeten, griff der Direktor unter den Schreibtisch und holte eine lange samtige Röhre hervor. Er schraubte den Deckel ab und entnahm dem Behälter ein großes aufgerolltes Blatt Pergamentpapier.

«Ich habe Nachrichten für euch!», verkündete er und hielt dabei das Blatt mit einer Hand oben und mit der anderen unten fest, damit es sich nicht wieder zusammenrollte.

Dann las er feierlich vor, was da in verschnörkelten Buchstaben auf dem Pergament stand:

Ehrenvolle Einladung
an die Retter des goldenen Schlüssels
Maria, Markus und Karl.
Zum Rittermahl am Sonntagabend
bittet feierlich der allerdurchlauchtigste
Ritter Arthur von und zu Ritterschlag.

«Ritterschlag!», sprachen die drei erschrocken nach. Sie erinnerten sich an ihr letztes Abenteuer. Da waren sie nämlich den Flohmarkt-Dieben auf die Schliche gekommen, die den Turmschlüssel von Schloss Ritterschlag geklaut hatten*. Aber die drei erinnerten sich auch noch an etwas ganz anderes:

* Lies nach in: Die Flohmarkt-Diebe. *Drei durch dick und dünn*

«Der Totenkopf», raunte Markus den anderen zu.

«Wir sollen uns doch von Burg Ritterschlag fern halten!», flüsterte Maria.

Und so langsam begannen sie zu ahnen, was die geheimnisvolle Nachricht von gestern zu bedeuten hatte. Sie wussten zwar noch immer nicht, von wem sie war – aber irgendjemand wollte verhindern, dass sie den alten Burgherrn besuchten.

Der Direktor sah die Kinder erstaunt an. «Ja, was ist denn nun? Ihr freut euch ja gar nicht. Wollt ihr der Einladung nun folgen oder nicht?»

Da steckten die drei die Köpfe zusammen und antworteten wie aus einem Mund: «Und ob, Herr Direktor!»

Denn Totenkopf hin oder her. Sie konnten sich doch nicht einfach so erpressen lassen!

3 BESUCH AUF BURG RITTERSCHLAG

Pünktlich zum Sonntag schüttete es wie aus Eimern. Marias Eltern hatten den Kindern angeboten, sie mit dem Auto zum Schloss hinaufzufahren. «Bei so einem Wetter scheucht man ja nicht einmal einen Hund vor die Tür!», hatte Herr Fünfziger gesagt. «Und seine Kinder schon gar nicht!», hatte Frau Fünfziger hinzugefügt. Zum Glück hatte der Regen gegen Abend aufgehört. Also beschlossen die drei, dass sie doch lieber zu Fuß gehen wollten.

Es wurde schon dunkel, als sie durch das Tor zum Schlosspark traten. Der Weg hinauf zum Schloss führte an einer Turmruine vorbei, die einsam und verlassen in den Abendhimmel ragte. Schon der Anstieg zum Turm war eine schaurige Angelegenheit. Denn links und rechts neben dem Schotterweg blickten graue Gestalten auf sie herab: ein kopfloser Prinz, eine Zofe ohne Arm und ein Knecht, der ein Loch im Bauch hatte.

Zum Glück waren es nur uralte Figuren aus Stein. Doch in der Dunkelheit hatten die Denkmäler etwas Gespenstisches: Sie schienen die Kinder genau zu beobachten – als würden sie wieder zum Leben erweckt, wenn nur einer von ihnen eine falsche Bewegung machte!

Die drei waren froh, als sie beim Turm angekommen waren. Die Hälfte des Aufstiegs hatten sie geschafft! Schnaufend sahen sie zum Schloss hinüber, in dem Ritter Arthur wohnte. Das prunkvolle Anwesen war noch ein ganzes Stück entfernt. Aber es erstrahlte in so hellem Licht, dass es fast bis zu ihnen leuchtete.

«Einen Moment noch!», raunte Markus und blieb vor dem Turm stehen. Dann verließ er den befestigten Weg und ging vorsichtig um die Ruine herum. Fast wäre er auf dem matschigen Untergrund ausgerutscht, doch dann hatte er den Eingang gefunden und drückte die Klinke herunter. Mit einem lauten Knarren sprang die Tür auf.

«Sie ist offen!», rief er den anderen zu und stapfte zurück.

Maria sah ihn erstaunt an. «Wozu wolltest du das denn wissen?», fragte sie.

Markus zuckte mit den Schultern. «Nur so!», antwortete er. Und dann gingen sie weiter. Der Schotterweg wurde breiter und führte geradeaus zum Schloss weiter. Je näher sie kamen, umso heller wurde es. Als sie das Anwesen endlich erreicht hatten, bemerkten sie zwei Furcht einflößende Gestalten, die vor einem großen eisernen Portal standen.

Ob diese Gestalten etwa auch aus Stein waren?

Nein! Denn die Kolosse hatten rostige Rüstungen an. Jeder von ihnen trug zwei blitzblanke Schwerter und machte jetzt einen Riesenschritt auf die Kinder zu.

«Wohin des Wegs?», fragte der eine griesgrämig.

Karl war für einen Moment jedes Wort im Halse stecken geblieben. Maria stieß ihn in die Seite und flüsterte ihm zu: «Mensch, Karl, wir sind doch eingeladen!»

«Ach so!», erinnerte sich Karl und holte die Papierrolle hervor, die sie von Ritter Arthur bekommen hatten.

«Bitte schön!», meinte er und gab sie einem der Kolosse.

Sofort schlugen die Männer die Hacken zusammen. Der eine sagte ergeben: «Stets zu Diensten. Darf ich mich vorstellen? Ich bin der Oberschlosswart Brecheisen! Dabei verbeugte er sich, dass seine Rüstung nur so schepperte. Dann fuhr er fort: «Und dieser dort ist der Schlosswart Dietrich.»

Diesmal verbeugte sich der andere Wächter.

Plötzlich ertönte hinter ihnen eine Stimme. Das Portal war geöffnet worden. Und ein kleines hutzeliges Männlein trat heraus.

«Ah, da sind ja meine heldenhaften Retter Maria, Markus und Karl! Herzlich willkommen auf Schloss Ritterschlag.»

Das Männlein reichte den Kindern die Hand.

«Bin erfreut, hocherfreut. Ich bin der Ritter Arthur Aribert Ademar von und zu Ritterschlag. Ihr dürft aber ruhig Ritter Arthur zu mir sagen.»

Dabei lächelte er, als hätte er den dreien einen großen Gefallen getan. Die Kinder aber schauten ihren Gastgeber mit großen Augen an:

Ritter Arthur hatte schlohweißes Haar, das er zu einem Zopf gebunden hatte. Nur sein langer Schnurrbart war schwarz geblieben. In zwei geschwungenen Kringeln reichte er fast bis zu den Ohren. Und er wippte auf und ab, während er sagte: «Bitte gütigst einzutreten!»

Die Kinder gingen an den Wärtern vorbei und betraten eine große Empfangshalle. Dort hängten sie ihre Jacken an ein Hirschgeweih, das hier wohl als Kleiderhaken diente. Der Ritter führte sie durch die Halle, und schon standen sie vor einem riesigen Festsaal, der von glitzernden Kronleuchtern hell erleuchtet wurde.

Seite an Seite schritten die Freunde durch die breite Flügeltür. Kaum hatten sie die Schwelle überschritten, kniffen sie geblendet die Augen zusammen. Im Festsaal glitzerte und glimmerte es wie in einer Schatzkammer. Da gab es goldene Pokale und silberne Schalen. Bronzene Kerzenhalter hingen an den Wänden. Funkelnde Edelsteine zierten kostbare Vasen. Und eine eiserne Truhe verbarg bestimmt noch weitere Schätze.

Selbst Maria hatte so einen Reichtum noch nie gesehen! Und das, obwohl ihren Eltern doch das Bank-haus Fünfziger & Co. gehörte.

Das Tollste aber war der große Kamin, der sich am anderen Ende des Raumes befand: Die Feuerstelle wurde von zwei Elfenbeinzähnen eingerahmt. Dar-über hing ein ausgestopfter Elefantenkopf, der aus diamantenen Augen traurig in die Gegend glotzte.

«Habt ihr etwa noch nie einen Elefanten gesehen?», fragte da eine kratzige Stimme.

Die drei zuckten zusammen. Jetzt erst sahen sie den langen, festlich gedeckten Tisch, an dessen hinterem Ende ein Junge saß, der ungefähr drei Jahre älter sein mochte als sie selbst. Er schaute griesgrämig in die Gegend.

«Das ist mein Enkel Alexander!», stellte der Ritter den Jungen vor. «Er wohnt erst seit ein paar Wochen bei mir. Seine Eltern können sich nicht um ihn kümmern. Sie sind zu beschäftigt.»

«Ich heiße Alex!», sagte der Junge schroff und würdigte die Gäste keines Blickes.

Der Ritter lächelte gequält. Schnell deutete er auf drei einsame Gedecke in der Mitte der Tafel und sagte: «Bitte höflichst, Platz zu nehmen!»

Er selbst setzte sich ans andere Ende des Tisches.

Die drei wunderten sich nicht schlecht, als sie sahen, dass an der ganzen langen Tafel nur für fünf Leute gedeckt war. Für sie, den Enkel Alexander und Ritter Arthur selbst.

«Komisches Rittermahl! Wo sind denn die Gäste?», raunte Markus seinen Freunden zu. Die nickten nur verstohlen.

Doch Alex hatte alles ganz genau beobachtet. «Da staunt ihr, was?», sagte er hämisch. «Hier traut sich schon seit Wochen niemand mehr rauf! Dieses Schloss ist verwunschen. Nur ich soll hier wohnen. Brrrr!»

Die drei Freunde wunderten sich nicht schlecht. Alex schaute trotzig in die Gegend und erzählte weiter: «Damit ihr's gleich wisst! Hier treiben merkwürdige Geschöpfe ihr Unwesen. Manche sagen sogar,

hier spukt's! Hahaha! Deshalb sind sie auch alle geflohen! Der Diener, die Köchin und der Hofgärtner.
Alle haben sie sich davongemacht. Aus purer Angst.
Außer uns ist kein Mensch mehr hier. Und ich wäre
auch längst abgehauen, wenn ich nur dürfte!»

Zur Bekräftigung schlug er mit der Faust auf den
Tisch.

Ritter Arthur war ganz perplex. Er antwortete
leise: «Aber du weißt doch, dass deine Eltern keine
Zeit für dich haben. Daran kann man nun mal nichts
ändern.»

«Das werden wir ja sehen!», polterte Alex weiter
und zeigte mit dem Finger auf die drei Gäste: «Am
besten, ihr verschwindet so schnell wie möglich!»

Als hätte jemand Unsichtbarer seine Drohung gehört, gingen im selben Moment die Lichter aus. Ein
lauter Donner ertönte, dass die Wände zu wackeln
begannen.

Sollte Alex etwa Recht behalten?

4 SPUK IM SCHACHT

Die kleine Gesellschaft tappte völlig im Dunkeln. Wieder erklang ein Donner. Er grollte durch die Finsternis, dass die Fensterscheiben erzitterten und die Teller auf dem Tisch zu tanzen begannen.

Mit einem lauten Poltern wurde von draußen die Tür aufgestoßen. Zwei große Schatten kamen in den Saal gestürzt. Dabei schepperte es, als würde ein Auto in der Schrottpresse zerquetscht.

Die Schatten ruderten wie wild mit den Armen in der Dunkelheit herum und riefen: «Halt! Keine Bewegung! Keiner rührt sich vom Fleck!»

Als ob irgendjemand vorgehabt hätte, in dieser Finsternis spazieren zu gehen!

Der eine Schatten kramte in seiner Tasche herum. Jetzt schien er etwas gefunden zu haben, zog es hervor, und kurz darauf flammte ein dünnes Lichtchen auf.

Im flackernden Schein eines Streichholzes konnte

man erkennen, wer die Schatten waren: Die Wärter Dietrich und Brecheisen waren herbeigeeilt, um ihrem Herrn zu helfen.

Der Oberschlosswart versuchte die Gesellschaft zu beruhigen: «Ruhe!», rief er mit dröhnender Stimme. «Ruhe bewahren! Alle Mann in Deckung! Frauen und Kinder zuerst. Ruhe bewahren! Die Rettung naht!»

Dabei lief er so aufgeregt im Saal umher, dass alle ganz unruhig wurden.

Im selben Moment ertönte wieder dieses laute Donnern.

Alle zuckten zusammen.

«Auuuuhhhh!», schrie da der Schlosswart Dietrich.

Er hatte sich am Streichholz die Finger verbrannt. Schnell pustete er die Flamme aus, und es wurde wieder dunkel im Saal.

Auch das Donnern war wieder verklungen. Man hörte nur noch das Klappern der Rüstungen.

Plötzlich gab es einen lauten Gong. Dann noch einen und noch einen.

«Die Uhr!», raunte Alex den anderen zu. «So beginnt es immer!»

Sie hörten, wie die Uhr erst zu schlagen aufhörte, als der zwölfte Gong verklungen war.

«Was soll das?», flüsterte Markus. «Es ist doch erst acht!»

«Geisterstunde! Hab ich's nicht gesagt?», grinste Alex. Und als wolle jemand seine Worte bestätigen, ertönte sogleich ein lautes Geheule.

«Ohhooooh! Ohwehoooohwehoweh!», dröhnte es blechern durch den Saal. Die Stimme klang, als hätte sie jemand durch den Fleischwolf gedreht.

«Ohhooooh! Ohwehoooohwehoweh!», tönte es weiter.

«Der Kamin! Es kommt aus dem Kamin!», rief Alex. Schnell waren alle aufgesprungen und tasteten sich durch die Dunkelheit zum Kamin hinüber.

«Ohhweeeh. Ohweeeh», klagte die Stimme immer lauter. «Ohweeeh! Ich hänge fest. Hilfe! Zu Hilfe!»

Plötzlich wurde es ganz hell im Schacht. Eine Ruß-wolke staubte hervor. Sie sahen, wie zwei Beine im Kamin baumelten und wild hin und her strampelten. Wieder rief die blecherne Stimme: «Ohweeeh! Ich hänge fest. Hilfe! Zu Hilfe!»

«Worauf wartet ihr!», rief Markus.

Doch die Wärter standen nur da. Und wenn die Gestalt im Kamin nicht so laut geschrien hätte, dann wäre noch etwas anderes ganz deutlich zu hören gewesen: das Schlottern ihrer Knie nämlich. Denn die Wärter hatten es mit der Angst zu tun bekommen!

«Los!», gab Markus das Kommando. Maria und Karl sprangen mutig auf den Kamin zu, um zu Hilfe zu eilen.

Klick!, machte es. Und wieder ertönte die Stimme: «Ohweeeh! Ich hänge fest. Hilfe! Zu Hilfe!»

Die drei sahen sich verdutzt an.

Markus berührte die Beine der Gestalt. Sie waren ganz weich. Fast wie aus Watte.

«Denkt ihr auch, was ich denke?», fragte Markus.

Maria und Karl nickten.

Dann packten sie die Gestalt an den Füßen.

«Halt, nicht!», rief Alex. «Ihr zieht ihm ja die Beine lang!»

Aber die Freunde ließen sich nicht beirren.

«Auf drei!», gab Markus das Kommando. Dann zählte er laut. «Eins, zwei und drei!»

Mit aller Kraft zogen sie an den Füßen. Mit einem Ruck lösten sich die Beine und stürzten durch den Kamin nach unten. Die Kinder wurden von der Wucht dieses Sturzes zu Boden gerissen. Als sie sich wieder aufgerappelt hatten, sahen sie, dass sie richtig gehandelt hatten:

Die Beine hatten keinen Unterleib! Und einen Oberkörper auch nicht! Sie waren einfach nur an den Oberschenkeln zusammengebunden. Natürlich waren es auch keine richtigen Beine, sondern nur mit Stroh gefüllte Würste, denen man eine Hose und Schuhe angezogen hatte.

Markus zerrte die Strohbeine ganz aus dem Schacht heraus und untersuchte sie gründlich. An der Hose hing eine Sicherheitsnadel, die durch den Ruck aufgesprungen war.

Markus sah die anderen zufrieden an. Er hatte mal wieder Recht behalten. Im Spurensuchen machte ihm so leicht keiner was vor: «An der Nadel war ein Seil befestigt», stellte er fest. «Daran wurden die

Beine den Schacht heruntergelassen.» Dann warf er Alex einen fragenden Blick zu und meinte: «Ist das etwa der ganze Spuk?»

Maria fügte hinzu:

«Dass ich nicht lache!»

Alex kaute auf seiner Unterlippe herum und zischte: «Wartet's nur ab. Wir sprechen uns noch!»

Und damit wurde es wieder dunkel im Schacht.

War die Geisterstunde etwa schon zu Ende, bevor sie richtig begonnen hatte?

5 EIN BÖSER VERDACHT

Das Licht im Saal war wieder angegangen. Die kleine Gesellschaft hatte an der langen Tafel Platz genommen. Ritter Arthur saß niedergeschlagen auf seinem Stuhl. Die Kringel seines Bartes hingen müde nach unten. Und wenn seine Haare nicht schon längst weiß gewesen wären, dann hätte er jetzt bestimmt noch ein paar weiße hinzubekommen. Traurig stöhnte er: «So geht das jetzt seit Wochen. Tag für Tag. Immer um acht Uhr. Ich weiß nicht mehr ein noch aus. Nimmt denn dieser Spuk nie ein Ende?»

Im Hintergrund jammerte auch der Schlosswart Dietrich. Er durchsuchte den Saal nach Spuren. Der Oberschlosswart Brecheisen suchte inzwischen draußen.

Sogar Alex sah ganz verstört aus. Nur Markus schüttelte den Kopf und entgegnete mit sicherer Stimme: «Ich weiß ja nicht, was bisher passiert ist. Aber das eben war kein Spuk. Das war höchstens ein dummer Streich! Und so was ist alles andere als zum Fürchten.»

Da aber meldete sich Alex lautstark zu Wort: «Jetzt reicht's mir aber mit eurer Besserwisserei!» Dabei schlug er wieder mit der Faust auf den Tisch, dass es nur so schepperte. «Wenn ihr glaubt, dass es hier nicht spukt, dann habt ihr euch geschnitten! Gestern sind sprechende Fledermäuse durch den Saal geflogen. Und vorige Wochen hat ein kopfloses Gespenst auf dem Dachboden sein Unwesen getrieben. Da wollt ihr mir doch nicht weismachen, dass hier alles mit rechten Dingen zugeht.»

Markus gab sich nicht zufrieden. «Paah!», erwiderte er. «Ein paar Gummifledermäuse kriegt man in jedem Spielzeugladen. Dann braucht man nur ein bisschen Draht und ein Tonband. Und so ein kopfloses Gespenst ist mit ein paar Laken auch schnell gebastelt. Ich glaube jedenfalls nicht an deine Schauermärchen.»

Alex war außer sich vor Wut. «Ich hab's gleich gewusst, dass ihr besser nicht hierher gekommen wärt …»

«Alexander!», unterbrach da der Ritter den Wortschwall seines Enkels. «Sie sind unsere Gäste. Vielleicht können sie uns helfen.»

«Helfen? Ausgerechnet die …», mäkelte Alex. Vermutlich hätte er noch weiter so geschimpft, wenn nicht der Schlosswart Dietrich entsetzt ausgerufen hätte: «Diebe! Diebe! Wir sind bestohlen worden!»

«Nein!», riefen der Ritter und sein Enkel erschrocken aus.

«Doch!», meldete der Wärter und zeigte auf eine eiserne Schatztruhe. Der Deckel stand offen. Die Truhe war leer.

«Meine Goldtaler!», stieß der Ritter hervor und rang nach Luft.

Da wurde plötzlich die Tür zum Saal aufgerissen. Der Oberschlosswart Brecheisen stürzte von draußen herein.

Er ruderte wild mit den Armen und stotterte: «Diebe! Man will uns bestehlen!»

Er zeigte auf eine verwaschene Jacke, die er in der Hand hielt.

Was wollte er denn mit Karls Jacke?

Ritter Arthur zog die Stirn in Falten: «Brecheisen!», sagte er. «Die Lage ist ernst, mach keine Witze mit mir!»

«Zu Befehl, Euer Gnaden!», antwortete der Wärter und drehte die Jacke auf den Kopf. Dann schüttelte er sie ein paar Mal. Mit einem lauten Rasseln fiel ein ganzer Schatz von Goldtalern auf den Boden.

Die Taler kullerten munter durch den Saal.

«Die Goldtaler!», rief Alex.

Alle schauten nun gebannt auf Karl. Denn wem die Jacke gehörte, der musste auch der Täter sein.

«Das ist doch deine!», sprach Maria aus, was alle dachten.

Karl nickte. Was blieb ihm auch anderes übrig? Er schluckte. «Es ist nicht so, wie ihr denkt», versuchte er zu erklären.

Aber keiner hörte ihm mehr zu. Denn jetzt kam Alexanders großer Auftritt. Er lachte laut und rief: «So ist das also! Es konnte ja nur einer von euch sein.

Wo ihr doch immer alles besser wusstet. Und der hier», und dabei zeigte er auf Karl, «der hier hat es ja auch ganz besonders nötig. Ich habe mich nämlich erkundigt. Seine Eltern sind arm wie Kirchenmäuse. Sein Vater war mal Gärtner. Aber jetzt hat er keine Arbeit mehr. Kein Wunder, dass da der Sohnemann auf dumme Gedanken kommt!»

«Neiiiiin!», schrie Karl da laut auf. Tränen standen ihm in den Augen. Hilflos schaute er Maria und Markus an. Die zwei waren doch seine Freunde! Konnten die ihn nicht in Schutz nehmen?

Doch die beiden waren selbst so entsetzt, dass sie nicht wussten, was sie sagen sollten.

So stammelte Karl nur leise: «Ich war's nicht. Bitte glaubt mir doch. Ich bin doch kein Dieb! Bitte …»

Da lachte Alexander nur noch lauter: «Das Einzige, was ich glaube, ist, dass du eine richtige Abreibung verdient hast.»

Und dabei krempelte er die Ärmel hoch und ging auf Karl los.

Der wusste sich nicht mehr zu helfen. Hastig drehte er sich um. Schneller, als man es ihm je zugetraut hätte, sprang er zwischen den Wärtern hindurch und rannte zur Haustür.

Mit einem Griff hatte er sie geöffnet und stürzte nach draußen.

«Haltet den Dieb! Haltet den Dieb!», brüllte Alexander und wollte hinterherlaufen.

Da trat ihm Markus in den Weg. Und wem sich Markus in den Weg stellte, der überlegte sich zweimal, ob er ihn zur Seite stoßen sollte. Auch wenn er drei Jahre älter war.

«Halt!», sagte Markus mit schneidender Stimme. Denn er hatte blitzschnell kombiniert: «Karl ist kein Dieb! Er kann es gar nicht sein. Denn er war die ganze Zeit mit uns zusammen. Wann hätte er sich die Beute denn in die Taschen stecken sollen?»

Alexander entgegnete darauf zähneknirschend: «Was weiß ich? Es war schließlich lange genug dunkel. Und vielleicht seid ihr ja seine Komplizen!»

«Unverschämtheit!», schrie jetzt auch Maria. «Ohne uns wäre es immer noch dunkel. Und spuken würde es auch noch!»

Wer weiß, was sich nun ereignet hätte, wenn sich nicht Ritter Arthur eingemischt hätte. «Es ist genug!», sagte er mit ruhiger Stimme. «Genug Aufregung für einen Abend.»

Er sah Markus streng an und fügte hinzu: «Ich gebe euch drei Tage Zeit. Danach will ich euch wieder sehen. Dann will ich eine Erklärung von euch. Verstanden?»

Markus nickte nur und schnappte sich wütend

seine und Marias Jacke. Hastig zog er die Freundin mit nach draußen.

Erst als die schwere Tür hinter ihnen zufiel, hatten sie Gelegenheit, kräftig durchzuatmen.

Ohne ein einziges Wort gingen die beiden den Weg zurück, den sie vorhin gekommen waren. Sie waren beide zu sehr mit ihren eigenen Gedanken beschäftigt. Wie sollten sie beweisen, dass Karl unschuldig war? Dass er nicht der Dieb sein konnte, daran zweifelten sie keine Sekunde. Schließlich hatte er sich die ganze Zeit in ihrer Nähe befunden.

Als sie am Turm vorbeikamen, blieb Markus stehen. Wieder bog er vom Schotterweg ab und ging um die Ruine herum auf den Eingang zu.

Zögernd streckte er die Hand aus.

Wieder drückte er die Klinke herunter.

Diesmal war die Tür verschlossen!

Markus bückte sich und blinzelte durch das Schlüsselloch hindurch. Was er sah, ließ ihn zusammenzucken.

Der Schlüssel steckte von innen!

Schnell ging Markus durch den Matsch zurück zu Maria. Aufgeregt sagte er: «Das ist ja verrückt. Die Tür ist verschlossen, und der Schlüssel steckt von innen. Irgendjemand muss also im Turm sein!»

«Wer denn?», erkundigte sich Maria aufgeregt.

Markus deutete mit dem Finger auf den Boden: «Das ist es ja gerade», sagte er verwundert. «Eigentlich kann da niemand drinnen sein. Denn es gibt keine Spuren außer von mir. Die frischen von gerade eben, die alten von vorhin. Oder siehst du noch irgendwelche anderen?»

Maria schüttelte den Kopf und fragte: «Aber wie ist dieser Jemand dann hineingekommen, wenn es keine Spuren gibt?»

Markus atmete tief durch, bevor er antwortete: «Das ist die große Frage. Wer weiß? Vielleicht gibt es hier ja doch Gespenster!»

6 ANGST UM KARL

Im Klassenzimmer der 4c saßen zwei Kinder und hatten dicke rote Nasen.

«Hatschiii!», machte Maria und schnäuzte sich.

«Hatschiii», antwortete Markus und trötete in sein Taschentuch, dass sich die anderen die Ohren zuhalten mussten.

Die zwei hatten sich einen Schnupfen geholt. Kein Wunder, denn sie hatten den ganzen Sonntagabend vor Karls Wohnung gewartet. Sie hatten im Regen gestanden und gehofft, dass in Karls Zimmer das Licht angehen würde. Aber das Fenster war dunkel geblieben. Da war für sie klar gewesen, dass ihr Freund nicht nach Hause gekommen war. In ihren Gedanken hatten sie sich ausgemalt, wie er sich nicht nach Hause traute. Wie er einsam durch die Straßen stromerte und Angst hatte. Denn er musste doch denken, dass er gleich verhaftet würde, wenn er sich irgendwo blicken ließ.

Fast bis um Mitternacht hatten Maria und Markus auf ihren Freund gewartet. Aber er war nicht gekommen. Und so hatten sie sich traurig auf den Weg nach Hause gemacht. Sie fühlten sich schuld an Karls Missgeschick. Denn sie hatten ihren Freund im Stich gelassen. Sie hatten ihm nicht geholfen, als ihn dieser Möchtegern-Ritterenkel einen Dieb genannt hatte.

Und dass Karl kein Dieb war, hätten sie gleich wissen müssen. Jetzt wussten sie es. Doch nun war es zu spät.

Denn jetzt wusste Karl nicht, dass sie es wussten.

Und deshalb war er fort. Verschwunden. Geflohen!

«Hatschiiih!», machte Maria. Aber ihr blöder Schnupfen kümmerte sie nicht die Bohne. Sie starrte nur zur Klassentür hinüber und hoffte, dass da gleich ihr Freund Karl hindurchkommen würde.

Aber Karl kam nicht.

Dafür ging endlich doch die Tür auf. Und herein kam, nein, kamen gleich drei Menschen:

Die eine war die Deutschlehrerin, Frau Neulich. Dahinter folgte ein alter Bekannter. Es war der Polizeiwachtmeister Krüger. Beide machten ein ganz sorgenvolles Gesicht.

Dann folgte die dritte Person.

Es war eine Frau, die eine ganz altmodische Jacke anhatte. Noch konnte man nicht sehen, wer es war,

weil sich die Frau gerade ein großes Taschentuch vors Gesicht hielt.

War sie etwa auch erkältet?

Als die Frau das Taschentuch sinken ließ, sahen die Kinder, dass sie sich gar nicht die Nase putzte. Sie hatte sich nur die Tränen weggewischt. Denn die Frau war sehr verzweifelt. Und jetzt sahen Maria und Markus auch, um wen es sich handelte.

Es war Frau Kummert. Die Mutter von Karl.

Ihre Augen waren ganz rot. Vermutlich hatte sie die

halbe Nacht geweint. Und heute Morgen war sie zur Polizei gegangen.

Der Wachtmeister versuchte sie zu beruhigen. Er legte ihr die Hand auf die Schulter. «Na, na, Frau Kummert. Wird schon werden, wird schon werden», sagte er. Dann wandte er sich an die Klasse: «Guten Morgen, Kinder!», grüßte er. Und als die Schüler zurückgegrüßt hatten, fuhr er fort: «Es ist etwas geschehen. Das heißt, hmm, eigentlich ist etwas nicht geschehen. Und das ist manchmal noch viel schlimmer!»

Die Kinder sahen ihn mit großen Augen an.

«Nun gut. Nun gut. Was nicht geschehen ist, betrifft euren Mitschüler Karl. Nicht geschehen ist, dass er nach Hause gekommen ist. Mmmh. Also, das bedeutet, er ist nicht nach Hause gekommen. Ihr seht schon, der Fall ist kompliziert!»

Die Kinder nickten. Auch wenn einige nicht verstanden hatten, was Herr Krüger eigentlich sagen wollte.

«Um es kurz zu machen», meinte der Wachtmeister, «weiß einer von euch, wo sich Karl befindet?»

Die Kinder schüttelten die Köpfe.

«Aha, aha», stellte Herr Krüger fest und fragte weiter: «Hat ihn vielleicht jemand gestern Abend noch gesehen?»

«Wir!», meldete sich Markus zu Wort. «Wir waren doch den ganzen Abend zusammen. Beim Rittermahl auf Schloss Ritterschlag. Aber dann ...»

Da kriegte Markus von Maria einen Stoß in die Seite.

Der Polizist schaute die zwei schräg an. «Was dann?», wollte er wissen.

«Ja, dann ...», antwortete jetzt Maria und überlegte kurz. «Dann sind wir nach Hause gegangen. Es war ja auch schon ziemlich spät. Vor der Schule haben wir uns getrennt, weil jeder in eine andere Richtung musste.»

«So, so», meinte Herr Krüger und war nun seinerseits am Überlegen. «Stimmt das?», fragte er Markus.

Der kriegte noch einen Stoß in die Seite und nickte. Herr Krüger schritt vor den Schülern auf und ab. Alle warteten gespannt, was nun geschehen würde.

Endlich blieb der Wachtmeister stehen und ging zur Tafel. Er schnappte sich ein Stück Kreide und malte zwei Kreise auf. Dann warf er sich mächtig in die Brust: «Wir sind ein gutes Stück weitergekommen», verkündete er und zeigte auf die zwei Kreise. «Das hier ist die Schule, und das da ist Karls Zuhause. Und dazwischen liegt der fragliche Locus, wo er verschwunden ist!»

Auch wenn die Lage ernst war, fingen jetzt die Kinder laut zu lachen an.

Ein stämmiger Junge mit rabenschwarzen Haaren schlug sich vor Vergnügen auf die Knie und rief: «Aber Herr Wachtmeister, der Lokus ist doch gleich hier draußen vor der Tür.»

Da wurde das Lachen noch lauter.

«Genau! Gute Ansage, Torben!», riefen einige. Und sogar Frau Neulich konnte sich ein Schmunzeln nicht verkneifen.

Der Wachtmeister fand das alles gar nicht lustig. Er sagte mit mahnender Stimme: «Wenn ihr im Deutschunterricht aufgepasst hättet, wüsstet ihr, dass Locus auf Deutsch *Ort* heißt.»

Das ließ sich Frau Neulich nicht gefallen. «Und wenn Sie in der Schule aufgepasst hätten», berichtigte sie Herrn Krüger, «dann wüssten Sie, dass man das nicht im Deutschunterricht lernt, sondern in Latein.»

Da konnte auch der Wachtmeister nicht mehr viel sagen. Er brabbelte nur noch etwas wie: «Na-einglückdassichnichtmehrzurschulegehenmuss!»

Dann stapfte er mit Frau Kummert im Schlepptau hinaus. Und damit war die Unterredung beendet.

# 7 DER SPUK GEHT WEITER

In der großen Pause trafen sich Maria und Markus vor der Turnhalle. Sie hatten Verstärkung mitgebracht. Torben, Max, Fabian und Einstein hatten ihre Hilfe angeboten. Die konnten die beiden auch gut gebrauchen. Wenn sie Karl finden wollten, kam es auf jeden Mann an.

Zunächst einmal musste Markus natürlich erzählen, was sich auf Schloss Ritterschlag alles ereignet hatte.

Als er fertig war, sagte ein langer Lulatsch, den alle Einstein nannten, weil er in Mathe ständig Einsen schrieb: «Dann hat Maria dem Wachtmeister aber was Falsches gesagt! Dann seid ihr gestern Abend ja gar nicht gemeinsam bis zur Schule zurückgegangen!»

«Genau!», rief Markus aus, so als würde er es erst jetzt bemerken. Und dabei sah er Maria scharf an.

Maria aber antwortete selbstsicher: «Du hättest ja

beinahe alles ausposaunt! Denk doch mal nach! Wenn wir dem Wachtmeister die Wahrheit gesagt hätten, wäre der doch bestimmt gleich beim Ritter Arthur vorbeigerauscht. Dann hätte die Polizei Karl noch mehr gesucht. Und zwar steckbrieflich!»

Markus gab sich geschlagen. Da hätte er doch beinahe etwas sehr Dummes getan.

Doch Einstein wollte alles ganz genau wissen. «Seid ihr euch absolut sicher, dass Karl unschuldig ist?»

Markus zog die Augenbrauen hoch. «Hundertprozentig», erklärte er, «wir waren die ganze Zeit bei ihm.»

Doch Einstein gab sich nicht zufrieden: «Gibt es denn nichts, womit sich die Diebe verraten haben?», fragte er weiter.

«Nur die Sache mit dem Schlüssel», antwortete Markus. Und er erklärte, dass im Turm von innen der Schlüssel gesteckt hatte. Und dass von außen niemand hereingekommen sein konnte, weil es keine Spuren gab.

«Höchst verdächtig!», stellte Einstein fest und holte tief Luft für die nächste Frage. Doch ein dicker Junge kam ihm zuvor: «Mensch, quatscht nicht so viel! Erst müssen wir Karl finden.»

«Max hat Recht!», meinte Markus. «Ich bin dafür,

wir treffen uns nach der Schule und machen uns auf die Suche.»

Und weil keiner widersprach, war der Plan beschlossene Sache.

Längst war die Dunkelheit hereingebrochen. Den ganzen Tag lang hatten die Kinder gesucht. Aber gefunden hatten sie nichts. Und schon gar nicht Karl.

Vor der Turnhalle waren sie wieder zusammengekommen. Nun hockten sie niedergeschlagen auf den Stufen vor dem Portal und ließen die Köpfe hängen. Keiner sagte auch nur ein Wort.

«Und was jetzt?», fragte Markus, als das Schweigen zu bedrückend wurde. Aber er bekam keine Antwort.

Sie saßen nur stumm beisammen. Wer weiß, wie lange sie noch so vor sich hin geschwiegen hätten, wenn nicht, ja, wenn nicht die Kirchturmglocken acht Uhr geschlagen hätten.

Als der letzte Schlag verklungen war, sagte Markus: «So hat es gestern auch begonnen!»

Und als hätte er damit ein geheimes Stichwort ausgesprochen, geschah es!

Hinter ihnen wurde die Tür zur Turnhalle aufgestoßen.

Aus der Halle ertönte eine tiefe Stimme: «Ohhweeeh. Ohweeeh!»

Die Kinder fuhren zusammen.

«Nicht schon wieder!», flüsterte Maria. Aber da erklang es ein weiteres Mal: «Ohhweeeh. Ohweeeh!»

Hatte es jetzt etwa auch in der Turnhalle angefangen zu spuken?

«Kommt!», raunte Markus den anderen zu und verschwand durch die Tür im Dunkeln.

Sie waren gerade ein paar Schritte gegangen, da tönte es schon wieder durch die Halle: «Ohweeeh! Ich hänge fest. Hilfe! Zu Hilfe!»

Mutig ging Markus voran. Sie hatten sich bis zum Mittelkreis der Halle vorgetastet. Da sahen sie es!

An einem der Kletterseile hing ein Körper. Wieder heulte es: «Ohweeeh! Ich hänge fest. Hilfe! Zu Hilfe!»

Noch einmal wollte Markus nicht auf den Spuk hereinfallen. Er flüsterte den anderen zu: «Achtung! Es ist bestimmt nur wieder so eine Strohpuppe!»

Doch da fing Maria plötzlich am ganzen Leib zu zittern an und rief erschrocken aus: «Nein! Sieh nur: Die Puppe bewegt sich!»

Und richtig! Der Körper rutschte ganz langsam am Seil hinab. Als er den Boden erreicht hatte, rieb er sich die Hände und stapfte auf die Kinder zu.

Die kleine Schar rückte im Mittelkreis ganz eng zusammen. Die Gestalt aber räusperte sich kurz und sagte schüchtern: «Hallo! Da bin ich wieder.»

Die Gestalt war niemand anderer als Karl!

«Was machst du denn hier?», rief Markus entgeistert aus.

Karl sah verlegen zu Boden. «Ich hab mich doch bloß hier versteckt», antwortete er. «Es durfte mich ja keiner finden. Wo mich alle für einen Dieb halten!»

Maria und Markus schauten betreten zu Boden. Denn im allerersten Augenblick hatten auch sie an Karls Unschuld gezweifelt.

«Mensch, Karl!», sagte da Markus und reichte seinem Freund die Hand. «Wir haben uns benommen wie die Hornochsen! Aber dafür sind wir jetzt ganz sicher, dass du es nicht gewesen bist!»

Dann berichtete er, wie er Karl vor Alex verteidigt hatte und wie der Schlüssel von innen in der Tür vom Turm gesteckt hatte. Er erzählte auch, dass sie Karl den ganzen Tag gesucht hatten und in großer Sorge um ihn waren, weil sie ihn nicht gefunden hatten.

Eine Zentnerlast schien von Karls Schultern zu fallen. «Ich bin ja so froh», sagte er nur und bedankte sich bei allen. Dann aber trat er von einem Bein aufs andere und sagte: «Und zum Dank habe ich euch fast zu Tode erschreckt! Ich bin vielleicht ein toller Freund!»

Die anderen konnten fast schon wieder darüber lachen. Nur Markus fragte ernst: «Aber nun erklär uns mal, was der ganze Spuk hier eigentlich soll!»

«Das», antwortete Karl stolz, «ist der Spuk von Schloss Ritterschlag!»

Er holte hinter seinem Rücken eine Fernbedienung hervor und drückte darauf. Wieder hallte die unheimliche Stimme des Kamingeistes durch den Raum.

«Wie hast du das denn gemacht?», rief Markus aus.

«Ganz einfach», antwortete Karl. «Mit dem Kassettenrecorder von unserer Sportlehrerin, Frau Reck. Kommt mit!»

Er drehte sich um und ging fort. Die anderen folgten ihm. Vor einem Kassettenrecorder mit großen Lautsprechern blieben sie stehen. Denn bei Frau Reck gab es im Sportunterricht oft Musik. Karl drückte auf einen Knopf und holte etwas aus dem Gerät hervor. Es handelte sich um eine kleine Musikkassette. Stolz zeigte er sie her.

«Das hier», sagte er, «ist eine Aufnahme aus einem Film. Nun ratet mal, wie der heißt!»

Die anderen zuckten ratlos die Schultern.

Karl freute sich, dass es keiner wusste: «Der Film heißt *Das Spukschloss*! Er lief gerade erst im Fernsehen. Die Hörkassette dazu kriegt man in jedem Musikgeschäft.»

Markus hatte verstanden! Auf dieser Kassette befand sich die unheimliche Stimme des Kamingeistes! Er packte Karl bei den Schultern und schüttelte ihn kräftig durch. «Mensch, wie bist du da nur drauf gekommen?», rief er.

Karl war das Ganze ziemlich peinlich. «A-alsoo», stotterte er, «i-ich h-h-hab mich halt s-sooo sehr gegruselt! Da musste ich mich einfach erinnern!»

Die anderen lachten. Nur Markus sagte aufgeregt

vor sich hin: «Das heißt ... das heißt, die angeblichen Geister haben erst vor kurzem so eine Kassette gekauft! Und das heißt, wir haben wirklich eine Spur!»

Alle drängten sich um Karl und klopften ihm auf die Schulter. Max sprach allen aus der Seele, als er freudig ausrief: «Das heißt, das heißt, die Spur ist heiß!»

Die Jagd auf die Geister von Schloss Ritterschlag konnte beginnen.

8 AUF HEISSER SPUR

Am nächsten Tag schien jede Minute doppelt so viele Sekunden zu haben wie sonst. Und jede Schulstunde war doppelt so lang. Markus hatte schon ungefähr tausendmal zur Uhr geschaut. Aber davon ging die Zeit auch nicht schneller vorüber.

Als die Glocke endlich die letzte Stunde beendete, war dies der längste Schultag im Leben der Kinder gewesen. Denn heute hatten sie noch etwas Wichtiges vor. Heute wollten sie sich den Geistern an die Fersen heften.

Der Plan war einfach: Zuerst mussten sie alle Musikgeschäfte der Stadt abklappern. Und überall, wo es eine Hörkassette zum Film *Das Spukschloss* gab, mussten sie nur eines tun: herausfinden, wer eine solche Kassette in den letzten Tagen gekauft hatte. Vielleicht konnten sie so in Erfahrung bringen, wer die Geister von Schloss Ritterschlag waren.

In der Stadt gab es ganze drei Musikgeschäfte.

Gleich im ersten Laden hatten sie Erfolg. Ein dicker Mann hinter einem Tresen erklärte, dass er gerade erst eine *Spukschloss*-Kassette verkauft hätte.

«Und? Wissen Sie noch, wie der Kerl aussah, dem Sie die Kassette verkauft haben?», fragte Maria.

Der Mann ließ sich nicht aus der Ruhe bringen. «Klaro!», meinte er. «Hab nämlich ein gutes Gedächtnis!»

Sieben Kinder starrten den Verkäufer an.

Der schaute ganz gelassen zurück – und zeigte – auf Karl! «Der da war's!», meinte er und grinste. Dann sagte er schnell: «Jetzt aber raus hier. Und zwar hurtig. Ihr vertreibt mir ja die Kundschaft!»

Den Freunden blieb nichts anderes übrig, als sich zu trollen. Als sie draußen vorm Laden angekommen waren, entschuldigte sich Karl sofort: «Wie dumm von mir. Ich hab einfach nicht dran gedacht. Hier hab ich gestern Morgen die Kassette gekauft.»

Markus sah Karl tadelnd an. Er schimpfte: «Das hätte dir auch eher einfallen können! Hoffentlich haben wir beim nächsten Mal mehr Glück.»

Aber im nächsten Laden erinnerte sich niemand. Denn es gab dort keine *Spukschloss*-Kassette. Also konnte sie auch niemand gekauft haben.

So blieb nur noch eine Chance! Laden Nummer drei war ein kleines Eckgeschäft. Als die sieben Kinder in den Laden stürzten, war er fast schon voll. So klein war er.

«Hier!», brüllte Torben durch den ganzen Raum und hielt eine Kassette hoch, auf der in großen Buchstaben *Das Spukschloss* stand.

«Hurra!», jubelten die anderen und stürmten auf eine Frau zu, die an der Kasse stand und sich wunderte.

«Bitte schön?», fragte die Frau etwas verunsichert.

Die Kinder wollten alle durcheinander plappern.

«Ruhe!», mahnte Markus. «Wir sind doch nicht in der Schule!» Höflich erkundigte er sich: «Entschuldigen Sie bitte. Aber wissen Sie zufällig, ob irgendjemand in den letzten Tagen so eine Kassette gekauft hat?»

«*Das Spukschloss*?», meinte die Kassiererin und dachte nach. «Nicht dass ich wüsste. In letzter Zeit verkaufen wir das nicht mehr so gut.»

«Sind Sie ganz sicher?», bohrte Markus nach.

Die Frau nickte.

Enttäuscht wendeten sich die anderen ab. Nur Markus bedankte sich noch höflich.

Plötzlich schien die Frau zu überlegen. «Wartet!», sagte sie. «Aber ich glaube, ich habe doch eine solche Kassette verkauft.»

Damit drehte sie sich um und kramte einen Ordner hervor. Sie blätterte eine Weile darin herum, klappte den Hefter ganz auf und legte ihn auf den Tresen.

«Hier!», sagte sie. «Wusste ich's doch. Wir haben die Kassette verkauft. Sie wurde telefonisch bestellt, und wir haben sie mit der Post verschickt. Deshalb konnte ich mich nicht gleich erinnern!»

Atemlos vor Spannung las Markus vor: «Alexander von und zu Ritterschlag auf Schloss von und zu Ritterschlag.»

«Stimmt was nicht?», fragte die Frau. Markus war mit einem Mal blass geworden.

Aber er erholte sich ganz schnell wieder. «Danke!», sagte er nur. «Sie haben uns sehr geholfen.»

Dann machte die ganze Bande auf der Stelle kehrt und rannte nach draußen. Am liebsten wären sie laut jubelnd durch die Straßen getanzt. Nur Maria bremste die Freude. Sie rief: «Noch haben wir die Geister ja gar nicht!»

Doch da kannte sie Markus schlecht: «Aber bald!», erwiderte er grimmig. «Denn jetzt wissen wir, dass Alex hinter dem ganzen Spuk steckt.»

«Aber der kann es doch nicht sein. Er war doch zur Geisterstunde mit uns zusammen!», gab Maria zu bedenken.

Da grinste Markus überlegen: «Er muss Komplizen haben. Es kann gar nicht anders sein!»

«Und wo sind diese Komplizen? Hast du sie vielleicht gesehen?», bohrte Maria nach.

Markus warf sich in die Brust und erklärte: «Bis jetzt ist es natürlich nur eine Vermutung. Aber ich glaube, dass sie sich im Turm verstecken. Wer sollte wohl sonst da drinnen sein!»

Maria ging Markus' Besserwisserei allmählich gehörig auf den Keks. Patzig stellte sie fest: «Aber wie sie da reingekommen sind, weißt du auch nicht, du Spürnase!»

Markus kombinierte messerscharf: «Weiß ich

doch! Wenn sie nicht von draußen reingekommen sind, gibt es nur noch eine Möglichkeit!»

Dabei schaute er überlegen in die Runde. Er schien es sehr zu genießen, dass ihm keiner das Wasser reichen konnte.

Da meldete sich Karl leise zu Wort: «Ich glaub, ich weiß, was du sagen willst.»

Alle Blicke waren auf Karl gerichtet. Er flüsterte fast, als er sagte: «Es muss einen zweiten Eingang zum Turm geben!»

Markus staunte nicht schlecht. Er legte Karl die Hand auf die Schulter und holte tief Luft. Er lobte zwar nicht gerne, aber diesmal tat er es:

«Sehr gut, Karl. Du hast Recht. Es gibt da einen zweiten Eingang. Es muss ihn einfach geben. Und wir werden ihn finden.»

Karl war ganz gerührt. Von Markus gelobt zu werden geschah nicht alle Tage. Deshalb traute er sich auch zu fragen: «Aber wie wollen wir das anstellen? Wir wissen ja nicht mal, wo wir suchen müssen.»

Doch Markus hob nur den Zeigefinger und lächelte klug: «Wir müssen in den Turm eindringen. Ich weiß auch schon wann!»

Die anderen sahen ihn fragend an.

«Heute Abend zur Geisterstunde!»

«Um Mitternacht?», erkundigte sich Maria.

«Um acht!», winkte Markus ab. «Dann sind die Geister nämlich ausgeflogen. Und wir können den Turm in Ruhe durchsuchen.»

«Aber wie willst du das machen?», hakte Maria nach.

«Sag ich euch gleich», meinte Markus und winkte die anderen näher heran. Dann erklärte er seinen Plan. Aber das tat er so leise, dass man kein Wort verstehen konnte.

9 DER GEHEIMGANG

Es hatte gerade acht Uhr geschlagen. Der alte Turm ragte bedrohlich in den dämmrigen Abendhimmel. Die Freunde waren den Weg durch den Schlosspark zur Ruine gegangen. Jetzt standen sie vor dem Eingang. Markus überprüfte mit einem Griff auf die Klinke, ob die Tür verschlossen war.

«Die ist dicht!», raunte er den anderen zu und blinzelte durchs Schlüsselloch. «Aber der Schlüssel steckt», atmete er erleichtert auf.

Und schon hatte er unter seiner Jacke etwas hervorgeholt. Es war ein hölzerner Kochlöffel. Markus bückte sich und tastete den Boden ab. Dann nickte er zufrieden.

«Gebt mir Licht», befahl er. Als Karl mit seiner Taschenlampe den Fußboden beleuchtete, begann Markus, mit dem Löffel die Erde wegzuschaben.

«Es geht besser, als ich dachte», flüsterte er. Denn schon war da ein ordentliches Loch zu erkennen.

Und das Loch wurde immer tiefer! Schnell hatte Markus einen breiten Spalt unter der Tür freigelegt. Er konnte bereits mit dem Arm hindurchgreifen.

Endlich legte er sein Werkzeug zur Seite und holte einen großen Stofffetzen hervor. Den faltete er so weit wie möglich auseinander, schob ihn fast ganz unter der Tür hindurch und stand auf.

«Jetzt gilt's!», meinte er und nahm wieder den kleinen Löffel zur Hand. Dann steckte er den Stiel ins Schlüsselloch.

Markus stocherte ein paar Mal im Schloss herum. Dann stieß er vorsichtig zu. Der Löffel schob sich langsam durch das Schloss hindurch.

Plong!, machte es.

Der Schlüssel war auf der anderen Seite der Tür zu Boden gefallen!

Sofort ging Markus wieder in die Hocke. «Pssst!», machte er und begann behutsam, an dem Stofffetzen zu ziehen.

Millimeter für Millimeter kam der Stoff wieder zum Vorschein. Die Kinder verfolgten mit aufgerissenen Augen jede Bewegung.

Der Stoff war fast schon wieder ganz draußen, da entdeckten sie endlich, worauf sie gewartet hatten: Unter der Tür sahen sie einen goldenen Schimmer hindurchscheinen.

Der Schlüssel!

Er war tatsächlich auf den Stoff gefallen. Vorsichtig zog Markus an dem Fetzen.

«Wir haben ihn!», jubelte Markus leise und griff nach dem Schlüssel. Er strahlte übers ganze Gesicht, als er ihn hochhob. Die anderen klopften ihm begeistert auf die Schultern. Doch all das merkte Markus gar nicht. Dazu war er viel zu aufgeregt. Schon steckte er den Schlüssel ins Schloss, drehte ihn mit einem lauten Knirschen um und öffnete die Tür.

«Hereinspaziert!», raunte er den anderen zu und ging voran. Der Turm empfing sie mit undurchdringlicher Finsternis.

Sieben Taschenlampen wurden angeknipst. Doch auch sie schafften es nicht, den düsteren Raum ganz auszuleuchten.

«Irgendwo muss der Geheimgang sein», meinte Markus und befahl: «Wir teilen uns in drei Gruppen auf. Fabian und Max, ihr durchsucht die Wände und …»

Er kam nicht weiter.

Plötzlich stieß jemand einen spitzen Schrei aus.

«Hiiiiiilfe!»

Es war Karl! Markus spürte nur noch, wie eine Hand nach ihm fasste. Blitzschnell griff er zu. Trotz der Dunkelheit schaffte er es, die Hand zu packen.

Doch sie war zentnerschwer und riss ihn beinahe
selbst nach unten.

«Hilfe! Tut doch was!», rief Karl und umklam-
merte die rettende Hand, die mit aller Kraft versuchte, ihn zu halten.

«Licht! Licht!», brüllte Markus in seiner Not.
Schon huschten die Strahlen der Taschenlampen im
Raum hin und her. Als sie ihr Ziel gefunden hatten,
stockte allen der Atem.

Karl und Markus befanden sich in höchster Gefahr! Unter ihnen gähnte ein tiefes schwarzes Loch. Markus wankte über dem Abgrund. Er hielt Karl umklammert, der schon bis zum Bauch in der Tiefe verschwunden war.

Schnell sprangen die Freunde herbei. Sie packten Markus an den Armen. Denn wenn sie ihn nicht halten konnten, war auch für Karl alles zu spät.

Es war ein zähes Ringen. Ein paar Mal drohten sie alle in das Loch zu stürzen.

Da übernahm Maria entschlossen das Kommando.

«Zuuugleich!», rief sie. Und mit einem mächtigen Ruck konnten sie Markus vom Abgrund wegziehen. Schon griffen ein paar hilfreiche Arme nach Karl. Doch als auch der fast gerettet war, trat er mit dem Fuß gegen etwas Eisernes.

«Moment mal!», flüsterte er und hatte plötzlich festen Boden unter den Füßen.

Die anderen sahen ihn erstaunt an.

«Ihr braucht mich nicht mehr zu halten», meinte Karl. «Seht nur. Hier ist eine Leiter!» Und als die anderen ihn losgelassen hatten, kletterte er die letzten zwei Stufen aus dem Loch selbst hinaus.

Als Erstes untersuchte er seine Knochen, ob auch alles in Ordnung war. Aber außer dem Schrecken und ein paar blauen Flecken war ihm nichts geschehen. Trotzdem musste er erst einmal kräftig durchatmen, bevor er den anderen zuflüsterte: «Na, den Eingang hätten wir jetzt ja gefunden!»

Karl sollte Recht behalten. Sie hatten den zweiten Eingang schneller gefunden, als ihnen lieb war. Eine Falltür führte nach unten. Jetzt wollten natürlich alle den Dingen auf den Grund gehen. Und Markus musste erst ein Machtwort sprechen, bevor jeder verstanden hatte, dass sie nicht zu siebt durch den schmalen Schacht klettern konnten.

Erstens, erklärte Markus, würden sieben Kinder da unten viel zu viel Krach machen. Und zweitens müsste ja irgendjemand hier oben bleiben. Wer sollte sonst Alarm schlagen, falls sie nicht mehr aus dem Loch zurückkamen?

Deshalb teilte er Einstein und Max dazu ein, vor dem Turm zu warten. Wenn Maria, Karl und er nach drei Stunden nicht zurückkehrten, sollten sie die Polizei benachrichtigen. Fabian und Torben dagegen sollten zum Schloss hinaufschleichen, um zu beobachten, was dort geschah. Denn dort war Geisterstunde, und da konnte man nie wissen!

Murrend gaben die anderen nach. Als sie draußen Stellung bezogen hatten, kletterte Markus als Erster den Schacht hinunter.

Karl folgte ihm nach.

Nur Maria ließ auf sich warten. Sie stand oben und überlegte. Dann gab sie sich einen Ruck und ging zum Eingang zurück. Leise drückte sie die Klinke herunter und machte die Tür auf. Draußen steckte noch der Schlüssel. Vorsichtig zog sie ihn heraus und sperrte die Tür von innen zu. Den Schlüssel steckte sie in die Tasche.

Dann erst kletterte sie ebenfalls hinab. Sie brauchte nur wenige Sprossen hinunterzusteigen, dann war sie auf dem Boden des Schachts angekommen.

«Wo bleibst du denn so lange?», raunte Markus ihr zu.

«Das erklär ich dir später!», antwortete Maria und spürte, wie der Schlüssel schwer in ihrer Tasche wog.

Hoffentlich hatte sie alles richtig gemacht!

10 DIE GEISTERBANDE

Die drei leuchteten mit ihren Taschenlampen die Wände ab. Und so entdeckten sie eine Öffnung in der Wand, die in einen großen unterirdischen Gang mündete.

Markus ging voran. Als ihm Karl und Maria durch die Öffnung gefolgt waren, leuchteten sie den Tunnel mit ihren Taschenlampen aus. Der Weg führte immer geradeaus. Irgendwo ganz weit hinten verloren sich die Lichtstrahlen im Dunkel.

Markus musste sich erst einen Ruck geben: «Wir haben keine andere Wahl», meinte er mit bebender Stimme. Denn auch für ihn hatte dieser finstere Gang etwas Gespenstisches.

«Am besten, wir fassen uns an den Händen», schlug Karl vor. Und als jeder von ihnen den Händedruck des anderen spürte, war die Angst nur noch halb so groß.

Mit vorsichtigen Schritten tasteten sie sich den

Weg entlang. Immer tiefer drangen sie in den unheimlichen Tunnel ein. Sie waren eine kleine Ewigkeit gegangen, da geschah etwas, womit sie nicht gerechnet hatten: Der Gang teilte sich in drei Wege auf. Sie standen vor einer unterirdischen Kreuzung und wussten nicht, wohin sie weitergehen sollten.

«Lasst uns umkehren!», bat Maria. «Wenn wir uns hier unten verlaufen, findet uns keiner wieder!»

Auch Markus bekam es mit der Angst zu tun: «Maria hat Recht!», bestätigte er. «Kein Mensch kann wissen, wohin diese Wege führen. Und welcher von ihnen der richtige ist.»

Da holte Karl etwas aus seiner Tasche hervor und richtete seine Lampe darauf.

«Doch. Ich!», sagte er stolz. «Ich kann es euch ganz genau sagen! Seht nur!»

Maria und Markus schauten auf das Etwas, das Karl da in der Hand hielt. Es war der Kompass, den sie ihm zum Geburtstag geschenkt hatten.

«Seht nur!», erklärte Karl. «Die Nadel zeigt nach Norden. Genau dort befindet sich das Schloss. Es gibt nur eine Lösung: Dieser Gang ist ein Verbindungsweg zwischen dem Turm und Schloss Ritterschlag.»

«Klingt logisch!», gab Markus zu. «Durch diesen Gang sind die Diebe ins Schloss gekommen. Aber wohin führen dann die anderen zwei Wege?»

«Wer weiß?», erwiderte Karl. «Wir müssen jedenfalls geradeaus gehen. So viel ist sicher.»

Maria und Markus wunderten sich nicht schlecht
über ihren Freund. Wieder einmal mussten sie fest-
stellen, dass er ganz und gar nicht auf den Kopf gefallen war, wenn es darauf ankam.

Vorsichtig tasteten sie sich weiter. Sie hatten nur
wenige Schritte zurückgelegt, da teilte sich der Gang
wieder in mehrere Wege auf.

Karl sah auf den Kompass. «Geradeaus!», meinte
er und ging voran. Zögernd folgten ihm Markus und
Maria. Würde Karl den Weg durch dieses Labyrinth

finden? Doch auch bei den nächsten Kreuzungen schaute ihr Freund nur auf den Kompass und deutete nach vorne.

Und so ging es immer weiter.

Sie wussten nicht, wie lange sie schon durch den Tunnel gegangen waren. Sie wussten nicht, wie viele Weggabelungen sie hinter sich gelassen hatten. Doch auf einmal war ihr Weg zu Ende. Die Strahlen ihrer Taschenlampen trafen auf eine schwarze Wand, die ungefähr hundert Meter entfernt war.

Es ging nicht mehr weiter!

«Von wegen Schloss!», schimpfte Markus. «Da ist nichts! Rein gar nichts!»

«Wir haben uns verlaufen!», rief Maria aus. «Wie sollen wir denn jemals wieder zurückfinden!»

Jetzt war auch Karl etwas mulmig zumute.

«Ich kann es mir nicht erklären», erwiderte er, «wir sind doch immer nach Norden gegangen!»

Im selben Augenblick strömte helles Licht durch den Gang. Dort, wo eben noch die schwarze Wand gewesen war, wurde eine Tür aufgerissen.

«Huuhuuuh!», dröhnte es durch den Schacht, und vier schauerliche Gestalten in weißen Geistergewändern kamen durch die Tür gepoltert.

«Taschenlampen aus!», befahl Markus.

«Huuhuuuh!», heulten die Geister. In der hell erleuchteten Tür sahen die drei Freunde, wie die schauerlichen Gestalten auf sie zuwankten.

Dann schlug die Tür zu, und es wurde wieder stockdunkel im Tunnel. Jetzt blieb keine Zeit mehr, groß zu überlegen. Jetzt hieß es handeln!

«Schnell!», zischte Markus seinen Freunden zu und packte sie an den Armen. Er drehte sich um und rannte zurück. Maria und Karl zog er mit ganzer Kraft hinter sich her.

«Huuhuuuh!», machte es hinter ihnen. Denn auch die Geister kamen den Gang entlanggelaufen. Ob sie die drei Freunde entdeckt hatten?

So schnell es in der Dunkelheit ging, rannten die drei durch den Tunnel. Ein paar Mal wären sie fast gestolpert. Aber da sie sich an den Händen hielten, rappelten sie sich immer wieder auf. Endlich erreichten sie eine der Kreuzungen.

«Hier entlang!», krächzte Markus und zog Maria und Karl hinter sich her in einen der Seitenwege hinein. Und obwohl sie ganz schön aus der Puste gekommen waren, versuchten sie, so leise wie möglich zu atmen. Damit die Geister bloß nichts von ihnen merkten.

Inzwischen war das gespenstische Heulen verstummt. Dafür hallten nun die Schritte der Geister durch den Gang und kamen immer näher! Schon

waren sie so nah, dass sie nur noch wenige Meter vom Versteck der drei entfernt sein konnten. Die Freunde hielten die Luft an. Dann sahen sie, wie sich vier dunkle Schatten genau vor ihnen aufstellten.

Einer der Geister sagte mit rauer Stimme: «So, jetzt aber erst mal raus aus den Klamotten!»

Im Licht einer Taschenlampe beobachteten die drei, wie sich die Gespenster ihre weißen Gewänder abstreiften und an einen Haken an der Wand hängten. Zum Vorschein kamen vier ganz normale Jungen. Einer von ihnen schien in die Richtung der drei zu sehen. Er lachte: «Jetzt hat sich's ausgespukt!»

Dann aber ging er weiter. Zum Glück hatte er die Freunde im dunklen Seitenschacht nicht entdeckt.

Die anderen Jungen folgten ihm, und langsam entfernten sich ihre Schritte wieder.

Maria, Markus und Karl atmeten tief durch. Ihnen stand der Schweiß auf der Stirn. Sie brauchten ein paar Minuten, bis sie sich erholt hatten.

Inzwischen waren die Schritte der Jungen verhallt. Markus traute sich als Erster wieder in den Hauptgang hinaus.

«Das waren also unsere Geister!», sagte er und untersuchte die weißen Gewänder. «Schöne Geister sind das. Die sind ja aus Fleisch und Blut wie wir.»

Maria nickte: «Aber sie sind alle einen Kopf größer.»

«Und zu viert!», fügte Karl hinzu. «An denen kommen wir bestimmt nicht vorbei, wenn wir wieder zurückwollen!»

«Müssen wir auch gar nicht!», erwiderte Markus. «Wir nehmen einfach den anderen Ausgang! Und die Klamotten nehmen wir mit. Als Beweismaterial!»

Dann knipste er seine Taschenlampe an und ging auf die schwarze Wand zu, in der sich die Tür befand, durch die eben noch die Geister gekommen waren. Als er die Tür erreicht hatte, drehte er sich kurz um. Maria und Karl waren ihm gefolgt.

«Seid ihr bereit?», fragte Markus. Die beiden nickten. Was blieb ihnen auch anderes übrig!

Markus drückte die Klinke herunter, und mit einem Ruck sprang die Tür auf. Sogleich wurden die drei von einem grellen Licht geblendet. Trotzdem kletterten sie durch den Eingang hindurch. Weil sich ihre Augen erst an die Helligkeit gewöhnen mussten, konnten sie kaum etwas erkennen.

Sie sahen nur, wie zwei große Gestalten auf sie zukamen. Die Gestalten klapperten bei jedem Schritt.

Es waren die Wächter Dietrich und Brecheisen! Breitbeinig stellten sie sich vor ihnen auf. Sie schielten kurz auf die Gewänder, die Markus unter dem Arm trug. Dann schlugen sie Alarm: «Wir haben die Geister! Wir haben die Geister!», riefen sie, dass es durchs ganze Schloss hallte.

Die drei rückten ganz nah zusammen und schauten sich ratlos an.

Jetzt war alles zu spät.

11 ERTAPPT!

Mit schnellen Schritten eilten der Ritter und sein Enkel herbei. Alex erschrak zuerst nicht schlecht, als er die drei erblickte. Doch als er bemerkte, dass Markus die Geistergewänder unterm Arm hatte, schrie er laut auf: «Hab ich's doch gleich gedacht, dass ihr hinter dem ganzen Spuk steckt!»

Dann ging er zielstrebig auf die Geheimtür zu. Er steckte seinen Kopf in den dunklen Schacht hinein und brüllte aus vollem Hals: «Hallo! Ist da noch wer? Wir haben euch! Fliehen ist zwecklos!» Er machte sogar ein paar Schritte in den Schacht hinein und brüllte weiter: «Jetzt hat sich's ausgespukt. Hohooh! Hört ihr? Ausgespukt. Hohooh!»

Dann kletterte er wieder aus dem Geheimgang hervor. Wie ein Jäger, der seine Beute begutachtet, schritt er vor den drei Freunden auf und ab.

Auf Karl schien er es besonders abgesehen zu haben. Er baute sich vor ihm auf und stieß ihn unsanft in die Seite. «Na, du kleiner Langfinger?», polterte er los. «Das hast du dir ja fein ausgedacht. Erst spuken, dann stehlen. Damit bei euch was zu essen auf den Tisch kommt, was? Na ja, wer kein Geld hat, muss sich eben anders helfen!»

«Das ist gemein!», rief Maria.

«Das ist ein Motiv!», erwiderte Alex und grinste überlegen. «Schau dir doch deinen sauberen Freund an. Wie der schon aussieht. Wie ein Lumpensammler!»

Karl fühlte sich, als hätte er Prügel bekommen. Jedes Wort, das Alex sagte, war wie ein Schlag ins Gesicht. Karl wollte sich wehren. Aber er konnte es nicht. Er stand wie versteinert da und wusste nicht, was er antworten sollte. Er spürte nur, dass er Tränen in den Augen hatte. Bloß nicht weinen!, dachte er und blickte zu Boden.

«Heul doch!», grinste Alex höhnisch.

Es war ein trauriges Bild: Da standen die zwei Wärter und passten auf drei Kinder auf, die wie drei Häufchen Elend zwischen ihnen standen. Drei Häufchen? Nein! Plötzlich wurde es Maria zu bunt. Sie stampfte mit dem Fuß auf. Mit scharfer Stimme stieß sie hervor:

«Dir wird das Lachen schon noch vergehen, du gemeiner Lügner!»

Alex schnaubte vor Wut: «Wer ist hier der Lügner?», schrie er. «Wer ist hier der Dieb? Ich oder ihr?»

Doch Maria blieb eiskalt. Sie entgegnete nur: «Du! Und ich kann es auch beweisen.»

Alex ballte die Fäuste. Zum Glück schaltete sich jetzt der alte Ritter ein. Er sagte nur das eine Wort: «Ruhe!»

Aber er sagte es so, dass sein Enkel gehorchte.

Der Ritter ging auf Maria zu und sagte mit ernster Stimme: «Weißt du, was du da sagst? Das ist eine schwere Anschuldigung. Damit ist nicht zu spaßen.»

Maria aber antwortete genauso ernst: «Und ob ich das weiß! Fragen Sie Ihren Enkel doch mal, warum er eben so laut in den Schacht hineingebrüllt hat, dass man es bis zum Nordpol hören konnte?»

Der Ritter sah seinen Enkel forschend an.

Doch Alex versuchte auszuweichen. «Warum? Warum?», äffte er Maria nach. Aber die war durch nichts mehr einzuschüchtern.

«Ich kann es dir sagen!», antwortete sie Alex. «Du wolltest deine Komplizen warnen. Damit sie fliehen können!» Und dem Ritter erklärte sie entschlossen: «Uns sind nämlich im Schacht vier merkwürdige Gestalten begegnet. Die sahen aus wie Gespenster. Aber sie waren aus Fleisch und Blut. Das können Sie mir glauben!»

«Genau!», bestätigte Markus und zeigte die Gewänder. Es waren vier an der Zahl.

Ritter Arthur schüttelte nur in einem fort den Kopf. Er wusste nicht mehr, was er glauben sollte.

Nur Alex fuhr forsch dazwischen: «Das beweist nur, dass ihr noch einen Komplizen habt!»

Maria stemmte die Hände auf die Hüften. «Der Einzige, der hier Komplizen hat, bist du!», sagte sie trotzig. «Und das sind die wahren Geister von Schloss Ritterschlag!»

Der Ritter warf seinem Enkel einen fragenden Blick zu. Dessen Kopf begann zu glühen wie ein Glutofen. Wütend schimpfte er: «Papperlapapp! Ihr seid hier das Geistergesindel und nicht ich! Ich kann nämlich beweisen, dass ihr im Schacht wart. Aber ihr könnt mir gar nichts! Ihr nicht!»

Da griff Maria in die Jackentasche und holte etwas hervor: den goldenen Schlüssel!

«Und ob!», sagte sie laut. «Ich habe nämlich die Turmtür abgeschlossen! Deine Komplizen sind gefangen! Sie können gar nicht mehr raus!

Alle sahen Maria mit großen Augen an: die Schlosswärter Dietrich und Brecheisen, der alte Ritter und Alex. Dem war glatt die Spucke weggeblieben. Denn jetzt wusste er nicht mehr, was er sagen sollte.

Am meisten von den Socken waren aber Karl und

Markus. Es brauchte eine Weile, bis bei ihnen der Groschen gefallen war. Dann aber jubelten sie laut auf und umarmten Maria, dass sie fast keine Luft mehr bekam.

Doch sie war nicht die Einzige, die nach Luft ringen musste. Denn auch der alte Ritter atmete schwer und fragte seinen Enkel nur immer wieder: «Ist das wahr? Ist das wirklich wahr?»

Doch Alex hatte anscheinend die Sprache verloren. Er vergrub das Gesicht in seinen Händen und hätte sich am liebsten unsichtbar gemacht. Aber weil er nun mal kein echtes Gespenst war, konnte er das nicht.

Ritter Arthur hatte verstanden. «Es ist also wahr!», stellte er enttäuscht fest.

Endlich nickte Alex. Sein Spiel war zu Ende. Und er wusste es auch. Mit kalkweißem Gesicht stammelte er: «Ich kann alles erklären! Ich wollte doch keinem wirklich was tun! Ihr solltet bloß denken, dass es die

Geister gibt. Damit ihr seht, dass man in so einem Spukschloss nicht wohnen kann! Und ich erst recht nicht!»

Ritter Arthur kam aus dem Staunen gar nicht mehr heraus. «Aber warum nur?», erkundigte er sich. «Hat es dir auf Schloss Ritterschlag an irgendetwas gemangelt?»

Alex schüttelte heftig den Kopf. «Das ist es doch gar nicht!», gestand er. «Ich wollte nur wieder zu Hause wohnen. Bei meinen Freunden! Und nicht hier, wo ich keinen kenne.» Dann stieß er verzweifelt hervor: «Ihr wisst ja nicht, wie das ist, wenn man von seinen Eltern einfach so abgeschoben wird! Wenn sie keine Zeit für einen haben. Wenn sie nie da sind. Und wenn sie mal da sind, dann wollen sie ihre Ruhe haben!»

Der Ritter schnaufte erschöpft. Leise, als könne er es selbst kaum glauben, sagte er: «Nun verrat mir nur noch eines! Das mit den Goldtalern, warst das etwa auch du?»

Alex blieb nichts anderes übrig. Er nickte: «Es war ganz einfach. Ich hab das Geld zwei Stunden vor der Geisterstunde aus der Truhe genommen. Während der ganzen Spukerei hat es ein Freund in Karls Tasche gesteckt. Ich musste nur noch die Truhe aufmachen!»

«Dann bist du also der Dieb!», stellte der Ritter enttäuscht fest.

Alex beteuerte leise: «Ich wollte doch nicht wirklich etwas stehlen. Ich wollte nur deine drei Detektive von Schloss Ritterschlag verjagen. Und ich wollte endlich wieder zu Hause wohnen.»

Damit vergrub er den Kopf in den Händen und sagte gar nichts mehr.

Auch dem Ritter wollte nichts mehr einfallen. Aber das machte nichts. Denn manchmal ist Schweigen besser als Reden.

12 EIN RITTERLICHES ENDE

Wenig später saßen Maria, Markus und Karl zum zweiten Mal an der langen Tafel im hell erleuchteten Saal. Diesmal würde es bestimmt keine Spukereien geben. Denn diesmal saßen die Geister mit am Tisch.

Alex hatte sie selbst aus dem Schacht geholt. Mit hängenden Köpfen waren die vier Jungen aus dem dunklen Gang geklettert. Sie hatten sich ordentlich erschrocken, als sie die beiden Schlosswärter gesehen hatten. Aber die hatten nur ein wenig mit den Säbeln gerasselt. Der Ritter hatte nämlich angeordnet, dass keinem der Gruselgeister auch nur ein Haar gekrümmt werden sollte.

Die lange Tafel war voll besetzt. Elf Jungen und ein Mädchen brabbelten aufgeregt durcheinander. Max, Einstein, Torben und Fabian waren von draußen hereingeholt worden. Sie wollten natürlich wissen, was sich alles ereignet hatte.

Ritter Arthur wartete eine Weile. Dann bat er um Ruhe. Die Stimmen der Kinder verstummten. Der Schlossherr erhob sich und ergriff das Wort: «Sehr verehrte Anwesende», erklärte er förmlich. «Wir haben uns hier versammelt, um Gericht abzuhalten. Denn hier, in meinem Schloss, hat ein Verbrechen stattgefunden! Hiermit ist die Verhandlung eröffnet.»

Die kleine Gesellschaft sah den Ritter mit großen Augen an. Der aber griff hinter sich und holte einen Holzhammer hervor. Er schlug dreimal hart auf den Tisch, bevor er verkündete: «Kraft meiner mir verliehenen Ritterwürde erkläre ich feierlich, dass ich gewillt bin, auf Schloss Ritterschlag wieder für Recht und Ordnung zu sorgen!»

Und damit sah er Alexander und seine Komplizen streng an. Die machten sich vor Schreck fast in die Hose.

Der Schlossherr fuhr unerbittlich fort: «Ich verlese nun die Anklage. Ich bitte die Anwesenden, sich zu erheben.»

Die Kinder standen gehorsam auf. Der Ritter schlug mit dem Hammer auf den Tisch und teilte mit: «Alexander von und zu Ritterschlag, du und deine Gruselgeister seid angeklagt, außerhalb der Geisterstunde gespukt zu haben. Denn ihr habt schon um acht Uhr euer Unwesen getrieben.»

Alex und seine Komplizen wussten nicht, ob sie weinen oder lachen sollten. Doch schon fuhr der Ritter fort: «Ferner seid ihr des Diebstahls meiner Goldtaler angeklagt. Die Beweislast ist erdrückend. Ich frage euch nun: Bekennt ihr euch dieser Verbrechen schuldig?»

Alex und seine Geisterbande betrachteten ausgiebig ihre Fußspitzen.

«Nun?», fragte der Ritter ungeduldig.

«Jaaa!», stöhnten die Gruselgeister, ohne auch nur einmal aufzuschauen.

Da hob Alex seinen Kopf und sagte leise: «Nein!

Sie sind nicht schuldig. Ich habe sie doch zu allem angestiftet. Sie sind meine besten Freunde. Sie wollten mir nur helfen. Jeden Abend sind sie mit dem Bus hierher gekommen. Nur damit ich bald wieder zu Hause wohnen darf. Ich bin schuldig. Nicht sie!»

Alex sah seinen Großvater verzweifelt an. Doch statt einer Antwort sauste nur der Hammer auf den Tisch. Und der Ritter verkündete: «Einspruch abgelehnt. Mitgehangen, mitgefangen! Nach altem Recht verurteile ich euch zu zehn Jahren Kerker. Abzusitzen im Verlies der Burg Ritterschlag!»

«Ooooh!», machten die Gruselgeister und hätten fast das große Zähneklappern bekommen.

Der Ritter ließ sie noch ein wenig zittern. Dann bekam er plötzlich tiefe Falten auf der Stirn. Er legte den Hammer beiseite und meinte gutmütig: «Ihr habt Glück. Denn leider kann das Urteil nicht vollstreckt werden. Zu jedem Urteil gehört nämlich ein Kläger. Aber den gibt es in diesem Fall nicht. Weil ich auf die Anklage verzichte. Und wisst ihr auch, warum?»

Die Gruselgeister schöpften wieder Hoffnung. Sie hoben die Köpfe und sahen den alten Ritter an.

Der erzählte weiter: «Weil ich selbst schuldig bin! Nicht des Einbruchs oder des Diebstahls. Dafür habe ich etwas anderes getan. Ich habe meinen Enkel seit

Wochen hier gefangen gehalten. Und darauf stehen mindestens auch zehn Jahre Kerker.»

«Ohoooh!», machte die kleine Gesellschaft.

Der Ritter fuhr sich durchs schlohweiße Haar. Seine Bartspitzen hingen müde herunter, als er sagte: «Ich frage nun dich, Alexander von und zu Ritterschlag: Willst du, dass ich in den Kerker muss?»

Alex stotterte. «A-a-aber nie im Leeeben!»

Der Ritter atmete tief durch: «Dann habe ich wohl auch Glück gehabt. Somit sind wir quitt! Und keiner von uns muss in den Kerker.»

Schon wollten die Gruselgeister zu jubeln anfangen. Da griff der Ritter wieder zum Hammer und schlug auf den Tisch. «Mit dir, Alexander», meinte er, «ist das ritterliche Gericht noch nicht fertig. Denn du bist noch in einem anderen Punkt angeklagt. Und von dem kann ich dich leider nicht freisprechen!»

«Aber wieso denn?», stieß Alex hervor. «Ich habe doch sonst nichts verbrochen. Ehrlich!»

Ritter Arthur hob den Zeigefinger und sagte: «Hast du etwa nicht drei unschuldige Kinder mit in den Fall hineingezogen? Hast du nicht einen von ihnen sogar auf ganz gemeine Weise verdächtigt? Obwohl du wusstest, dass er unschuldig ist?»

Alex versuchte sich zu verteidigen: «Aber ich wollte doch nur, dass sie vom Schloss fernbleiben!

Wenn sie auf meine Warnung mit dem Totenkopf gehört hätten, dann wäre ja auch gar nichts passiert!»

«Das macht die Sache nicht besser, sondern eher noch schlimmer», gab der Ritter zu bedenken. «Ich jedenfalls kann dich von dieser Schuld nicht freisprechen. Das kann nur einer!»

Alle Blicke richteten sich auf Karl.

Der trat mal wieder vor Verlegenheit von einem Bein aufs andere. Er wusste gar nicht, was er dazu sagen sollte.

Zum Glück kam ihm Alex zuvor. Er stand auf und ging um die Tafel herum, bis er bei Karl angekommen war.

Das, was er jetzt tat, fiel ihm sichtlich schwer. Er musste sich erst einen ordentlichen Ruck geben. Dann aber hob er die Hand und reichte sie Karl. Er stammelte: «Es tut mir Leid, ehrlich.»

Karl schluckte trocken. Eigentlich hätte er es ganz gut gefunden, wenn Alex im Kerker gelandet wäre. Wenigstens für ein paar Tage. Aber als der Junge so mit hängenden Schultern vor ihm stand, überlegte es sich Karl noch einmal anders: «Schon gut», antwortete er. «Ist ja alles halb so schlimm.»

«Wirklich?», fragte Alex.

«Wirklich!», bestätigte Karl und schlug ein.

Da nahm der Ritter den Hammer und schmiss ihn in hohem Bogen fort. Seine Bartspitzen zeigten endlich wieder nach oben, als er erleichtert feststellte: «Das ist ja gerade nochmal gut gegangen. Alle Beteiligten sind hiermit freigesprochen!»

Die Gruselgeister fielen einander in die Arme. Alex schüttelte immer noch Karls Hand. Und bestimmt wäre sie ihm bald abgefallen, wenn der Ritter nicht noch ein allerletztes Mal den Zeigefinger erhoben hätte.

«Einen Augenblick, bitte!», erinnerte er sich. «Eines hätte ich nämlich fast vergessen! Ich habe mir doch für Karl noch etwas ganz Besonderes ausgedacht!»

Der zuckte ordentlich zusammen.

«Ich? Wieso ich?», rief er erschrocken aus. «Ich bin doch unschuldig!»

Ritter Arthur lächelte gutmütig und sagte: «Ja, aber durch die ganze Spukerei haben wir unseren Hofgärtner verloren. Und ich dachte, vielleicht weißt du einen neuen für uns?»

«W-w-wie denn, w-w-was denn …», stotterte Karl verdutzt.

Der Ritter unterbrach ihn sanft: «Dein Vater ist doch Gärtner, oder?»

Karl nickte nur noch. Um ihn drehte sich alles. Er verstand die Welt nicht mehr.

«Wenn du vielleicht ein gutes Wort für mich einlegen könntest?», bat der Ritter.

Da endlich hatte Karl verstanden. Ritter Arthur suchte einen neuen Gärtner. Und sein Vater suchte eine neue Arbeit. Das passte ja wunderbar zusammen!

Karl sprang von einem Bein aufs andere. Aber diesmal nicht vor Verlegenheit, sondern vor Freude. Übermütig rief er: «Das ist ja toll! Dann wäre mein Vater ja so was wie ein ritterlicher Hofgärtner, nicht?»

«Ein allerehrenwerter ritterlicher Hofgärtnermeister sogar!», bestätigte der Schlossherr.

«Jippiiee!», jubelte Karl.

Die anderen Kinder stimmten fröhlich mit ein. Sie freuten sich sehr für ihren Freund.

Markus rief ein ums andere Mal aus: «Jetzt schlägt's dreizehn! Jetzt schlägt's dreizehn!»

Da rief Maria laut dazwischen: «Na, solange es nicht zwölf schlägt!»

Und da mussten alle lachen.

Sogar die Herren Dietrich und Brecheisen!